JARDINS DE PLANTES AROMATIQUES

LE JARDIN DES DÉBUTANTS

JARDINS DE PLANTES AROMATIQUES

*Idées simples pour réaliser
le jardin de vos rêves*

GRAHAM A. PAVEY

Adaptation française : Jean-Marie Merle,
avec le concours de Nicolas Blot
Coordination de l'édition française : Philippe Brunet

Un livre de Quantum

ISBN : 2-87677-394-5
Dépôt légal : 1ᵉʳ trimestre 2000

Composition et mise en page : PHB, Paris
Imprimé à Singapour

REMERCIEMENTS DE L'AUTEUR

J'adresse ici tous mes remerciements à Dave, Jason et Paul, de l'équipe de DJ
Landscapes, 28 Wingfield Road, à Bromham, dans le Bedfordshire ; à Sandra
et Richard Oliver, à Angela Whiting et à Barry Johnson ainsi qu'à toute
l'équipe d'Anglia Alpines and Herbs, St Ives Road, Somersham, à Huntingdon
(Cambridgeshire, PE17 3ET) ; à Maureen Cattlin et à toute l'équipe du centre
de jardinage de Milton Ernest, Radwell Road (Bedfordshire, MK44 1SH), ainsi
qu'à Steve Woods et aux jardiniers-paysagistes de Tacchi's Garden Scene,
Wyton, à Huntingdon (Cambridgeshire, PE17 2AA).

CRÉDITS PHOTOGRAPHIQUES

L'éditeur remercie Graham A. Pavey, Garden Matters et Harry Smith, qui ont
fourni les photographies des pages suivantes et qui ont accepté que soient
publiées des reproductions de leur matériel :

Graham A. Pavey : p. 5, 6, 7, 8, 14, 38, 39, 42, 43, 44, 45 ;

Garden Matters : p.4, 6, 9, 11, 15, 26, 34, 38, 42, 43, 46 ;

Collection Harry Smith : p. 7, 26, 38, 43, 45.

SOMMAIRE

INTRODUCTION

Depuis les temps les plus reculés, les plantes aromatiques sont cultivées pour leurs vertus médicinales, leur intérêt culinaire, certaines même pour leur utilisation en cosmétique ou en parfumerie. Depuis des siècles se perpétue la tradition des jardins de simples des premiers monastères, mais les plantes aromatiques connaissent aujourd'hui un regain d'intérêt de la part du grand public. Elles ont entre autres qualités celle d'être à la fois de robustes plantes de jardin et de gracieuses plantes d'ornement.

Du jardin géométrique à la jardinière composée de plantes aromatiques, tous les jardiniers trouveront dans ce livre des idées à leur portée. Certaines réalisations, plus ambitieuses, pourront entrer dans la conception d'ensemble d'un jardin. D'autres, plus simples, s'exécutent plus rapidement et permettront d'avoir immédiatement sous la main des plantes aromatiques pour les besoins de la cuisine.

CONSEILS PRATIQUES

Les plantes aromatiques

Bon nombre de plantes aromatiques sont envahissantes, soit de par l'abondance de leurs graines, soit en raison du réseau souterrain de leurs racines. Dans plusieurs des réalisations présentées ici, si l'on propose de cloisonner les plantations à l'aide de dalles ou de briques (on pourra tout aussi bien utiliser des pierres), c'est précisément pour donner des limites à la prolifération des racines. Avec certaines plantes – la menthe, notamment – il sera même préférable de faire ses plantations dans un bac ou dans un pot, d'au moins une trentaine de centimètres de profondeur, dont on aura retiré le fond avant de le mettre en pleine terre dans son jardin. Quant aux plantes qui se essaiment trop facilement, comme la matricaire, il est conseillé d'en couper les fleurs dès qu'elles apparaissent.

La plupart du temps, des plants de petite taille feront parfaitement l'affaire. Certaines plantes, cependant, comme le romarin ou la sauge, se mettent en terre quand elles sont déjà de bonne taille (sauf exception). On signalera ici, à titre purement indicatif, la taille approximative des pots et des godets dans lesquels les jardineries mettent en vente les plantes que nous proposons à chaque chapitre, les godets de 8-10 cm étant les plus fréquents pour les plantes de petite taille.

Les plantes présentées dans ce livre ont pour la plupart des vertus médicinales, cosmétiques ou culinaires, tandis que certaines sont purement ornementales.

Angélique (Angelica archangelica).

Laurier
(Laurus nobilis).

Bergamote
(Monarda didyma).

Camomille
(Chamaemelum
nobile).

Cataire
(Nepeta racemosa).

Ciboulette *(Allium
schoenoprasum).*

Curry *(Helichrysum
italicum).*

Alchémille. Cette plante gracieuse n'a pas d'utilisation culinaire. Elle s'emploie en phytothérapie pour traiter les troubles menstruels.

Angélique. L'angélique confite s'emploie pour décorer les gâteaux. Les feuilles d'angélique s'emploient également pour accompagner la rhubarbe à la place du sucre.

Armoise. Les feuilles gris argent de l'armoise font ressortir à merveille le vert des plantes environnantes. L'armoise est aussi plantée pour éloigner les insectes.

Basilic. Il en existe diverses variétés, à feuilles de couleur et de forme différentes. On s'en sert pour parfumer les salades et les tomates, les champignons et la viande. Le basilic s'emploie énormément dans la cuisine italienne, notamment pour parfumer les pâtes et les pizzas.

Bergamote. La bergamote est tout autant à sa place dans un parterre de fleurs que dans un jardin de plantes aromatiques. Ses feuilles peuvent, en petite quantité, accompagner une salade ou de la viande de porc.

Les fleurs de bergamote conservent leur parfum et leur couleur lorsqu'elles sont séchées : elles entrent fréquemment, pour cette raison, dans la composition de pots-pourris.

Les Amérindiens s'en servaient pour faire une tisane qu'ils appelaient *oswego*. Ils révélèrent bon nombre de leurs connaissances en botanique aux colons. En hommage à l'un de ceux-ci, Nicholas Monardes, qui publia en 1569 le premier herbier américain, la bergamote fut nommée *Monarda didyma*.

Camomille. La camomille s'emploie essentiellement dans la fabrication de produits pharmaceutiques et cosmétiques. On en fait également de la tisane, qui a la réputation d'avoir des vertus apéritives. Enfin on verse de l'essence de camomille dans l'eau des bains pour ses effets calmants.

Cataire. Cette plante possède des vertus médicinales. Les chats aiment s'y ébattre ; pour cette raison, elle est aussi connue sous le nom d'« herbe-à-chats ».

Cerfeuil. De saveur très légèrement anisée, cette plante fait partie des fines herbes et s'utilise beaucoup en cuisine pour parfumer salades, soupes, sauces, légumes, volailles et poissons.

Ciboulette. On s'en sert pour accompagner les soupes, les poissons, les œufs, les pommes de terre. On en met aussi dans certains fromages et dans les salades, que l'on décore avec les fleurs pourpres, également comestibles.

Coriandre. Les feuilles de coriandre s'utilisent en petite quantité dans les salades, les ragoûts et les sauces, tandis que les graines assaisonnent riz, tomates et avocats.

Cumin. Les graines de cumin s'emploient pour parfumer les tartes et les biscuits, les desserts aux pommes ou le pain ; les racines se consomment comme légume cuit.

Curry. Les feuilles de curry (ou cari) sont très parfumées, mais ce parfum disparaît à la cuisson. Pour assaisonner riz et légumes, on ajoutera donc le curry après la cuisson.

11

Fenouil (Foeniculum vulgare).

Estragon (Artemisia dracunculus).

Menthe marocaine (Mentha spicata).

Menthe anglaise (Mentha suaveolens).

Persil (Petrosalinum sativus).

Menthe verte (Mentha spicata).

Matricaire (Tanacetum parthenium).

Iris (Iris foetidissima).

Alchémille (Alchemilla mollis).

Marjolaine Origanum vulgare «Aureum»).

Estragon. L'estragon s'emploie pour accompagner de nombreux plats – veau, volailles, gibier, crustacés, légumes. On le plantera de préférence dans un pot ou un bac sans fond, afin de limiter la prolifération de ses racines.

Fenouil. Le fenouil accompagne le poisson, le porc, le veau, le poulet et les légumes tendres. Il attire des insectes prédateurs de la mouche blanche et a donc un rôle à jouer dans l'équilibre écologique du jardin.

Fraisier. Les fraisiers sont parfaitement à leur place dans un jardin de plantes aromatiques. Les fraises font d'excellents desserts et les feuilles de fraisier se boivent en tisane.

Iris. Cette plante purement ornementale se plaît même à l'ombre. Ses feuilles lancéolées et ses baies orangées, qui apparaissent à l'automne, donnent couleur et hauteur à un parterre.

Laurier. Les feuilles de laurier servent à parfumer les soupes, les ragoûts, les poissons ou les viandes au court-bouillon. Les feuilles fraîches sont plus parfumées que les feuilles séchées.

Marjolaine. Aussi appelée « origan », c'est l'un des ingrédients principaux des bouquets garnis. Elle accompagne les viandes, les tomates et les pizzas.

Matricaire. Cette plante, également appelée « grande camomille », n'a pas d'utilisation culinaire. En revanche, elle possède des vertus médicinales et s'emploie notamment pour soigner les migraines.

Menthe. Il en existe de nombreuses espèces. Ses feuilles s'emploient en tisane, ou pour accompagner salades, petits pois, pommes de terre, poisson, veau, mouton ou agneau. Elle est cultivée depuis des siècles pour ses vertus aromatiques, culinaires et antiseptiques. Comme il s'agit d'une plante envahissante, il est recommandé de la planter dans des pots ou dans des bacs à fond ouvert pour limiter sa prolifération.

Myrrhide odorante. Appelée aussi « cerfeuil musqué » ; ses feuilles ont une saveur anisée. Hachées menu, elles parfument salades, soupes ou ragoûts. Les racines de cette plante se mangent crues ou cuites.

Romarin
(Rosmarinus
officinalis).

Sauge dorée
(Salvia officinalis
«Icterina»).

Sauge (Salvia
officinalis).

Thym
(Thymus).

Persil. S'emploie comme garniture ou en assaisonnement de nombreuses préparations, poissons, omelettes ou légumes, mais aussi soupes, ragoûts, agneau, volailles et gibier.

Romarin. Cet arbuste se cultive en buissons ou en petites haies. Les rameaux coupés lors de la taille sont mis à sécher et conservés toute l'année pour les besoins de la cuisine. Il parfume agréablement les viandes (poulet, agneau ou porc). On en extrait également une essence.

Rue. Cette plante amère est cultivée pour la couleur de ses feuilles. On lui attribue des propriétés magiques… à condition de la voler!

Saponaire. Plante dont la tige et les racines font mousser l'eau comme du savon. Sans utilisation culinaire, elle s'emploie en dermatologie.

Sauge. Elle est cultivée pour ses vertus médicinales. Ses feuilles délicieusement parfumées font un excellent accompagnement pour les viandes (canard, oie ou porc) et pour les poissons gras.

Thym. Le thym s'utilise comme aromate dans une multitude de préparations (soupes, ragoûts, farces, volailles, poissons, légumes, salades). Il garde toute sa saveur quand on le fait sécher et il entre également dans la composition des pots-pourris. Au Moyen Âge, le thym était un symbole de courage, et les dames en brodaient des rameaux sur les vêtements des hommes qui partaient à la guerre.

Matériaux

Il existe différentes qualités de briques, des plus friables, employées en décoration, aux plus résistantes, utilisées comme matériau de construction. Les premières sont parfois plus intéressantes en raison de leur texture, mais elles sont plus fragiles et résistent mal aux gelées. Les effets du gel ne sont pas toujours inesthétiques, mais il est, en général, préférable de prévoir quelques briques de plus pour remplacer celles qui seraient endommagées. On pourra également choisir des matériaux autres que des briques : des pierres, par exemple, si on en trouve en quantité suffisante à proximité de son jardin.

Pour poser les briques bien à plat, utiliser un niveau et une massette.

En guise de fondations légères, on pourra utiliser des pierres ou des briques concassées à la masse. Le principe de ces fondations est de donner une assise solide aux briques, ou aux pierres, que l'on disposera à la surface.

Pour sceller les briques, on fera un mélange de sable et de ciment à raison de six parts pour une, auquel on ajoutera de l'eau en petite quantité, pour obtenir un mortier souple mais non liquide. On pourra également utiliser du mortier bâtard, qui contient de la chaux et reste plus clair. Au moment de jointoyer les briques, on fera attention à ne pas en salir la surface.

Le même mélange de six parts de sable pour une de ciment, mais plus liquide que le précédent, servira à poser les dalles.

Terre et terrain

En matière de terrain, les plantes aromatiques ont des besoins très variés. Certaines se plaisent au soleil et s'accommodent d'un sol sec, d'autres ont besoin de conditions plus favorables.

N'apportez pas d'engrais à la terre, occupez-vous des plantes individuellement. Si le sol est argileux, aérez-le et allégez-le en surface en mêlant à la terre du sable grossier pour favoriser le drainage.

Dans les bacs et les pots, on utilisera soit du **terreau universel**, soit un mélange à base de **tourbe**, qui présente l'avantage d'être plus légère. La tourbe sèche cependant rapidement et demande des arrosages fréquents. D'autre part,

l'exploitation des tourbières est souvent anarchique et nuit à l'environnement. Essayez de trouver une autre solution.

Les mélanges à base de terreau présentent l'avantage de mieux conserver l'humidité. S'ils sont aussi à base de terre de jardin, on évitera, en raison de leur poids, de les utiliser sur les balcons et on les réservera de préférence pour les pots et jardinières que l'on n'aura pas à déplacer.

En surface, on pourra épandre de l'écorce broyée ou de la fibre de coco (ou coir), mais l'utilisation de fibre de coco présente un incon-

vénient : son prélèvement provoque un appauvrissement des sols dans son milieu d'origine.

La mousse végétale servira à tapisser l'intérieur des suspensions. On en trouve dans les grandes jardineries, mais on peut tout aussi bien en prélever sur une pelouse – à condition, toutefois, que celle-ci n'ait pas reçu de traitement chimique.

Le sable de rivière servira à alléger les terrains argileux pour obtenir un bon drainage. Il convient d'utiliser du sable propre. On évitera le sable de mer, mais également le sable jaune employé dans le bâtiment : il est souvent gras et très sale.

EN HAUT À GAUCHE : *Mélange à base de tourbe.*
EN HAUT À DROITE : *Terreau.*
AU CENTRE : *Écorce broyée.*
EN BAS À GAUCHE : *Mousse végétale.*
EN BAS À DROITE : *Sable de rivière.*

Les soins

L'arrosage doit être régulier, mais bon nombre de plantes aromatiques proviennent de climats chauds et secs : feuilles et tiges transpirent très peu, et elles résistent bien à la sécheresse. Ces plantes ont en conséquence besoin d'arrosages peu fréquents et elles ne souffrent pas trop si on les oublie un peu. Il existe néanmoins des exceptions, qui seront signalées au fur et à mesure. En raison de leur bonne résistance à la sécheresse, la plupart des plantes aromatiques s'acclimatent bien dans des pots et des bacs.

De façon idéale, l'arrosage devrait se faire de bonne heure le matin. On prendra garde à ne pas mouiller les feuilles pour éviter qu'elles ne soient brûlées par le soleil.

Pour que les plantes restent toujours belles, on leur accordera une attention et des soins réguliers. Elles sont toujours gracieuses au début de la saison, mais à la fin de l'été elles donnent parfois l'impression d'avoir perdu de leur fraîcheur. C'est ce qui se produit notamment lorsqu'elles sont montées en graine. Il existe des solutions : soit couper toutes les tiges qui commencent à fleurir, soit éliminer toutes les fleurs fanées. Dans un cas comme dans l'autre, on aide la plante à rester touffue et à poursuivre une croissance harmonieuse.

Une autre solution, plus radicale, consiste à tailler la plante à la base : elle attendra l'année suivante pour repousser et, si elle se trouve dans un pot, on pourra mettre celui-ci à l'écart.

Les plantes qui reçoivent des soins réguliers restent gracieuses et en bonne santé.

Le **déplantoir** sert à creuser la terre pour mettre en place les plantes de petite taille.

Le **râteau** permet d'ameublir la terre en surface une fois qu'elle a été bêchée. Il s'emploie d'avant en arrière et affine la terre juste avant les plantations.

La **bêche** sert à retourner, avant les plantations, la terre des carrés et des plates-bandes. Elle sert également au moment de mettre en place les plantes de grande taille.

Une **brouette** ne sera pas inutile pour transporter la terre et le sable. Elle servira également pour préparer et transporter le mortier.

Pour vérifier que les briques ou les pierres sont bien dans un même plan horizontal, on aura recours à un **niveau.**

A l'aide d'un **piquet** en bois ou en métal, auquel on aura attaché une cordelette ou une ficelle, on tracera un cercle en plantant ce piquet en terre pour marquer le centre du cercle.

Pour tasser les briques et les pierres afin de les mettre au niveau, on se servira d'une **massette**.

Pour préparer le mortier et le mettre en place, pour sceller les briques ou les pierres, on utilisera une **truelle.**

Tessons ou **cailloux** serviront à tapisser le fond des pots et des bacs pour favoriser le drainage. La solution la plus commode consiste à utiliser des tessons de pots de terre cuite, ou de tuiles, mais on peut tout aussi bien se servir de cailloux de taille moyenne ramassés dans le jardin.

Pour vérifier l'alignement des briques ou des pierres, on utilisera un cordeau, que l'on peut fabriquer soi-même à l'aide de deux petits piquets, de bois ou de métal, et d'une cordelette.

CASCADE DE PLANTES AROMATIQUES

La réalisation présentée ici, découverte dans un vieux livre de jardinage,
convient également très bien aux plantes de rocaille ou aux plantes à
fleurs. L'emplacement idéal pour cette cascade de plantes aromatiques est
à proximité de la porte de la cuisine, ou même dans une serre,
où l'on ira faire sa cueillette. On pourra également la placer
sur une terrasse ou dans un patio, auprès d'autres pots groupés.

Matériel

5 pots de terre cuite de divers diamètres :
39 cm, 32 cm, 27 cm, 21 cm et 16 cm

• Tessons de poterie ou cailloux • Terreau
universel ou mélange à base de tourbe

CONSEILS

Les plantes présentées ici sont des plantes
vivaces, mais il sera peut-être préférable
d'en renouveler certaines (le persil notamment), tous les ans au printemps, pour que
cette composition garde toute sa fraîcheur.

Les plantes

A. *3 fraisiers* (Fragaria vesca
«Semperflorens») – *godets de 8-10 cm.*

B. *3 pieds de thym* (Thymus serpyllum
coccineus «Major») – *godets de 8-10 cm.*

C. *3 pieds de persil* (Petroselinum
crispum) – *godets de 8-10 cm.*

D. *2 pieds de ciboulette* (Allium
schoenoprasum) – *godets de 8-10 cm.*

E. *1 pied de menthe argentée* (Mentha
longifolia) – *godets de 8-10 cm.*

1. Tapisser de tessons de poterie le fond de chacun des pots, pour obtenir un bon drainage, en commençant par le plus grand.

2. Mettre du terreau léger ou un mélange à base de tourbe pour que l'ensemble ne soit pas trop lourd à déplacer.

3. Remplir le premier pot jusqu'à ce que le second tienne bien en place, le rebord du second pot restant posé sur le rebord du premier. Retirer le second pot s'il est nécessaire de rajouter de la terre.

4. En tenant le second pot bien fermement contre la paroi du premier, remplir tout le tour de terre. Secouer légèrement et tapoter un peu pour que la terre se mette bien en place.

5. Répéter l'opération avec chacun des autres pots jusqu'au dernier.

Plantations

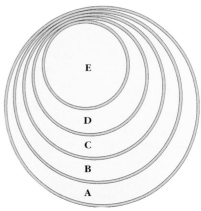

1. Commencer les plantations par le pot du bas. Dégager doucement les racines après avoir sorti les plantes de leurs godets pour qu'elle reprennent plus facilement. Planter les 3 fraisiers dans le pot du bas (A).

2. Planter les 3 pieds de thym dans le 2ᵉ pot (B).

3. Planter les 3 pieds de persil dans le 3ᵉ pot (C).

4. Planter les 2 pieds de ciboulette dans le 4ᵉ pot (D).

5. Planter la menthe dans le pot du haut (E). Plantée au printemps, la cascade ne tardera pas à prendre de l'ampleur.

AUTRES SUGGESTIONS

Pot A.

3 pieds de marjolaine (*Origanum vulgare* «Aureum») – godets de 8-10 cm.

Pot B.

3 pieds de saponaire *(Saponaria ocymodes)* – godets de 8-10 cm.

Pot C.

2 pieds de ciboulette *(Allium schoenoprasum)* – godets de 8-10 cm.

Pot D.

3 pieds de basilic pourpre *(Ocimum basilicum var. purpurescens)* – godets de 8-10 cm.

Pot E.

1 romarin *(Rosmarinus officinalis)* – pot de 14-16 cm (1 litre).

PARTERRE CLOISONNÉ

Cette réalisation, très classique, se module en fonction de la taille et de la disposition du jardin.
Les cloisons, tout en facilitant l'accès à chaque plante, délimitent un espace à l'intérieur duquel sont
contenues les plantes les plus envahissantes. On pourra ajouter ou retrancher à la longueur de l'ensemble,
ou réaliser un second module identique parallèlement au premier. L'emplacement idéal serait au bord
d'une allée ou d'un patio, ce carré de plantes aromatiques constituant une transition vers un parterre
de fleurs. Au fil des semaines, la sauge et la camomille déborderont de leur espace, estompant les cloisons
un peu trop rectilignes. En utilisant, pour construire les cloisons, le même matériau que celui des allées,
des murs du jardin ou de la maison, on créera une unité entre les différents espaces : le modèle proposé
ici est en brique, mais on pourra bien entendu délimiter le même parterre en pierre.

Les plantes

A. *6 pieds de camomille* (Chamaemelum nobile «*Treneague*») *– godets de 8-10 cm.*

B. *2 pieds de sauge* (Salvia officinalis «*Icterina*») *– pots de 16-18 cm (2 litres) ou de 21-23 cm (5 litres).*

C. *1 pied de rue* (Ruta Graveolens) *pots de 14-18 cm (1 à 2 litres).*

Matériel

90 briques • mortier (1 part de ciment, ou de ciment et de chaux, pour 6 parts de sable) • Cordeau • Niveau • Massette Bêche • Truelle • Déplantoir

D. *2 pieds de sauge pourpre* (Salvia officinalis «*Purpurescens*») *pots de 16-23 cm (2 à 5 litres).*

E. *2 pieds de ciboulette* (Allium schoenoprasum) *godets de 8-10 cm ou pots de 14-16 cm (1 litre).*

F. *1 pied d'estragon* (Artemisia dracunculus) *pot de 14 à 18 cm (1 à 2 litres).*

G. *3 matricaires* (Tanacetum parthenium «*Aureum*») *– godets de 8-10 cm.*

H. *1 pied de curry* (Helichrysum italicum) *godet de 8-10 cm ou pot de 14-16 cm (1 litre).*

I. *1 pied de fenouil* (Foeniculum vulgare «*Purpureum*») *godet de 8-10 cm ou pot de 14-16 cm (1 litre).*

J. *2 pieds de thym* (Thymus x citriodorus «*Aureus*») *– godets de 8-10 cm.*

K. *1 pied de menthe anglaise* (Mentha suaveolens) – *pot de 16 à 23 cm (2 à 5 litres).*

L. *1 pied de basilic* (Icimum basilicum)
godet de 8-10 cm
ou pot de 14-16 cm (1 litre).

M. *2 pieds de persil* (Petroselinum crispum)
godets de 8-10 cm.

1. Commencer par les bords extérieurs. Creuser une tranchée de 3 m de long et de 50 cm de large.

2. Poser les briques sur un lit de mortier sec. Utiliser un cordeau pour vérifier leur alignement.

3. Le niveau permet de vérifier que les briques sont à la bonne hauteur. La massette sert à faire les ajustements nécessaires. La longueur proposée ici est de 31 briques.

4. Faites un côté, puis réalisez-en un second, parallèle au premier côté et distant de quatre longueurs de brique. Vérifiez que la distance entre ces deux grands côtés reste constant d'un bout à l'autre.

5. Mettre en place les cloisons perpendiculaires.

6. Disposer les pots dans leurs parterres respectifs (voir plan, page ci-contre).

Plantations

1. Dégager doucement les racines de chaque plante avant de les mettre en terre.

Dans le parterre n° 1, mettre en place les six pieds de camomille (A). La variété proposée ici forme un tapis végétal : on l'utilise parfois pour réaliser des carrés de pelouse. Ici, la camomille formera un contraste avec la sauge et la rue du parterre voisin, et elle estompera les bordures de brique.

2. Dans le parterre n° 2, on plantera la sauge dorée (B) à feuilles panachées, qui ne tardera pas à retomber sur la bordure de brique. La coloration et la texture de ses feuilles s'accorderont bien avec les plantes voisines, la rue et la ciboulette, dans le parterre suivant.

À côté de la sauge, on plantera la rue (C). Cette plante, qui possède des vertus médicinales, est avant tout une magnifique plante d'ornement, qui se marie également avec les rosiers et les herbacées. Ses feuilles bleutées et bien découpées s'opposeront à celles de la sauge qui l'encadre. Attention cependant : il vaut mieux éviter de toucher les feuilles de rue et de sauge, au moment de les planter ou de les cueillir, car elles risquent de provoquer des allergies.

Dans le même parterre, à côté de la rue, on plantera le second pied de sauge (D), de même forme que le premier, mais à feuilles pourprées.

3. À l'une des extrémités du parterre n° 3, planter un pied de ciboulette (E). C'est l'une des plantes aromatiques les plus appréciées en cuisine, mais elle est également gracieuse, notamment au moment de sa floraison. Ses feuilles effilées offrent un contraste intéressant avec les feuilles grises du curry et avec l'estragon, à port dressé.

Planter l'estragon (F) à côté de la ciboulette, au centre du parterre : quand la saison est plus avancée, l'estragon devient parfois inélégant.

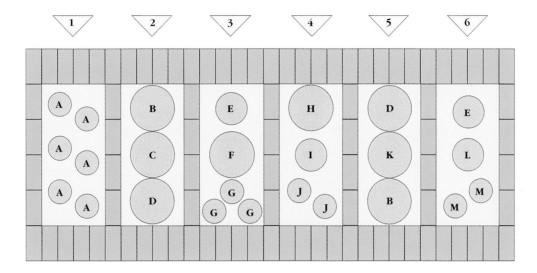

Comme ses racines sont envahissantes, il est recommandé de le mettre en terre à l'intérieur d'un grand pot ou d'un vieux bac dont on aura retiré le fond.

À côté de l'estragon, pour faire pendant à la ciboulette, planter les trois pieds groupés de matricaire (G). Au printemps, la matricaire est d'une fraîcheur et d'un éclat inégalables. Elle perd un peu de sa couleur en été, mais on encouragera la formation de nouvelles pousses en la taillant de temps en temps. À cet emplacement, elle offrira un contraste intéressant avec la sauge pourprée et fera ressortir les couleurs du thym.

4. Dans le parterre voisin, planter le curry (H). À la différence de bon nombre de plantes à feuillage gris, le curry conserve son élégance toute l'année. Son feuillage fera ressortir la texture des feuilles de sauge, d'un côté, et le feuillage en forme de plumet du fenouil. Pour l'encourager à pousser plus touffu, on le taillera de temps en temps.

Planter ensuite le fenouil (I). Cette plante vivace accompagne souvent les parterres de fleurs en raison de la forme et de la texture de son feuillage. Le fenouil présente un intérêt esthétique et culinaire, mais il joue également un rôle écologique : il attire des insectes prédateurs des mouches blanches qui, parfois, s'installent sur le basilic.

Mettre en place les deux pieds de thym (J). La variété proposée a un parfum citronné et donne des fleurs roses au début de l'été. Son feuillage doré répond à celui de la sauge, dans le parterre n° 2, et à celui des matricaires, dans le parterre n° 3. Il existe de nombreuses variétés de thyms, que l'on plante dans les parterres de fleurs ou dans les rocailles pour leurs qualités ornementales autant que pour leur intérêt culinaire.

5. Dans le parterre n° 5, planter le second pied de sauge pourprée (D), qui contribuera à donner un équilibre à l'ensemble.

Puis viendra la menthe (K). Ses tiges de haute taille portent de grandes feuilles ovales et velues,

qui répondent à la texture de la sauge et du fenouil. Ses racines sont très vite envahissantes, aussi est-il recommandé de la mettre en terre à l'intérieur d'un pot ou d'un vieux bac dont on aura ouvert le fond.

Planter le second pied de sauge dorée (B). Les quatre pieds de sauge assurent la symétrie de ce jardin et continuent de lui donner des couleurs en plein hiver.

6. Dans le dernier parterre, planter le second pied de ciboulette (E). Les deux pieds de ciboulette placés dans deux carrés différents contribuent, comme la sauge, à l'équilibre de l'ensemble. Mettre en place les deux pieds de persil (M) puis, au milieu du parterre, le pied de basilic (L). Il existe de nombreuses variétés de basilic qui, toutes, craignent le froid ; il faudra attendre que les risques de gel soient complètement écartés pour le planter.

7. Si toutes ces plantations s'effectuent au printemps, le jardin arrivera à maturité au bout de deux ou trois mois.

Autres suggestions

La composition proposée ici comporte des plantes qui résistent mal au froid. Dans les régions qui connaissent les gelées, on choisira donc un emplacement bien abrité.

Carré 1. A : 6 pieds de thym *(Thymus serpyllum)* – godets de 8-10 cm.

Carré 2. B : 1 pied de myrte *(Myrtus communis* «Variegata»*)* – pot de 16 à 23 cm (2 à 5 litres)

C : 1 romarin *(Rosmarinus officinalis)* – pot de 16 à 20 cm (2 à 3 litres).

D : 1 pied de sauge *(Salvia officinalis)* – pot de 16 à 20 cm (2 à 3 litres).

Carré 3. E : 3 pieds d'ail *(Allium sativum)* – godets de 8-10 cm.

F : 1 livèche *(Levisticum officinale)* – godet de 8-10 cm.

G : 2 alchémilles *(Alchemilla mollis)* – godets de 8-10 cm.

Carré 4. H : 1 pied de lavande *(Lavandula angustifolia)* – pot de 16 à 20 cm (2 à 3 litres).

I : 1 pied de menthe anglaise *(Mentha suaveolens)* – pot de 16 à 20 cm (2 à 3 litres).

J : 1 pied de lavande *(Lavandula angustifolia)* – pot de 16 à 20 cm (2 à 3 litres).

Carré 5. D : 1 pied de sauge *(Salvia officinalis)* – pot de 16 à 20 cm (2 à 3 litres).

K : 1 pied de rue à feuilles panachées *(Ruta graveolens* «Variegata»*)* – pot de 14 à 18 cm (1 à 2 litres).

B : 1 pied de sauge *(Salvia officinalis)* – pot de 16 à 20 cm (2 à 3 litres).

Carré 6. E : 3 pieds d'ail *(Allium sativum)* – godets de 8-10 cm.

L : 1 pied de sauge *(Salvia officinalis* «Tricolor»*)* – pot de 16 à 20 cm (2 à 3 litres).

M : 2 alchémilles *(Alchemilla mollis)* – godets de 8-10 cm.

POTS GROUPÉS

Les plantes aromatiques se cultivent très bien dans des pots : leurs besoins en eau sont relativement réduits, et c'est une solution commode pour contenir leurs racines, qui ont tendance à proliférer. Autre avantage : les pots se déplacent facilement et on pourra les rapprocher de la cuisine ou les rentrer pour l'hiver. Les plantes qui deviennent disgracieuses à la fin de l'été, comme l'estragon, se placeront derrière les autres jusqu'à l'année suivante. Groupés, les pots de plantes aromatiques donnent vie et intérêt à une terrasse, un patio, une cour pavée. On commet souvent l'erreur de les disséminer dans un vaste espace : ils passent inaperçus et, paradoxalement, encombrent le passage. Il est beaucoup plus intéressant de les grouper et de les placer par exemple à proximité d'une porte ou d'un salon de plein air.

Les plantes

1 laurier (Laurus nobilis)
– pot de 16 à 20 cm (2 à 3 litres).

1 pied d'estragon (Artemisia dracunculus)
– pot de 14 à 18 cm (1 à 2 litres).

1 pied de sauge panachée (Salvia officinalis
«Tricolor») *– pot de 16-18 cm (2 litres).*

3 pieds de marjolaine (Origanum vulgare)
– godets de 8-10 cm.

1 pied de menthe poivrée citronnée (Mentha x
piperita citrata) *– pot de 14 à 18 cm (1 à 2 l).*

1 pied de thym (Thymus vulgaris aureus)
– godet de 8-10 cm.

Matériel

3 pots de terre cuite d'environ 45 cm, 40 cm

et 32 cm de diamètre • 4 pots

de terre cuite de 27 cm de diamètre

• Tessons de poterie ou cailloux • Terreau

universel ou mélange à base de tourbe

3 pieds de persil (Petroselinum crispum)
– godets de 8-10 cm.

1 pied de ciboulette (Allium schoenoprasum)
*– godet de 8-10 cm ou pot de 14-16 cm
(1 litre).*

Plantations

1

2

7

3

4

6

5

CONSEILS

Le persil se renouvelle tous les ans, mais les autres plantes resteront dans leurs pots pendant trois ans, avec un surfaçage annuel. Lorsqu'une plante devient trop grande pour son pot, on peut soit lui donner un pot plus grand, soit la replanter dans le jardin. En période de canicule, deux arrosages quotidiens sont nécessaires, l'un tôt le matin, l'autre le soir. Si les pots sont à l'extérieur, on les arrose jusqu'à ce qu'apparaisse une petite flaque à la base de chaque pot. Un apport d'engrais liquide toutes les deux semaines est recommandé (toutes les semaines pour le persil). Dans les régions où l'hiver est rude, on placera les plantes dans un endroit du jardin bien protégé, et on abritera les pots en cas de gel (dans un pot, les racines sont au-dessus du sol, et donc beaucoup plus exposées).

1. Commencer par le plus grand des pots (n° 1). Tapisser le fond du pot d'une bonne couche de tessons de poterie pour favoriser le drainage. Remplir de terre jusqu'à 3 cm du bord supérieur.

2. Retirer le laurier de son pot de plastique en le retournant et en exerçant une légère pression sur les parois du pot. Dégager doucement les racines pour que la plante reprenne plus facilement. Veiller à ce que le laurier soit recouvert d'autant de terre dans son nouveau pot que dans son pot d'origine. Le laurier craint le froid et doit être protégé en hiver.

3. Mettre en place les trois pieds de marjolaine en les répartissant de façon équilibrée autour du laurier.

4. La marjolaine ne tardera pas à recouvrir la terre et à retomber en cascade sur les flancs du pot.

5. Le choix d'un emplacement est d'une importance primordiale. Ici, le gravier s'accorde bien avec la couleur de la terre cuite.

6. Planter l'estragon dans le second pot et la menthe dans le troisième. Les trois pots groupés offrent un contraste saisissant. On pourrait d'ailleurs s'en tenir là, l'ensemble étant déjà parfaitement harmonieux.

7. Les trois pieds de persil sont plantés ensuite dans le quatrième pot, la sauge dans le cinquième, le thym et la ciboulette dans le sixième et le septième. Ces quatre pots se placeront devant les trois premiers. Au bout de quinze jours, on pourra commencer à cueillir des brins et des feuilles. Les plantes arrivent à maturité au bout de deux mois.

AUTRES SUGGESTIONS

Pot n° 1 : 1 romarin *(Rosmarinus officinalis)* – pot de 16-18 cm (2 litres).
3 pieds de thym à port retombant *(Thymus serpyllum)* – godets de 8-10 cm.

Pot n° 2 : 1 pied de menthe anglaise *(Mentha suaveolens)* – pot de 16 à 20 cm (2 à 3 litres).

Pot n° 3 : 1 pied de rue *(Ruta graveolens)* – pot de 16-18 cm (2 litres).

Pot n° 4 : 1 pied de basilic *(Ocimum basilicum)* – godet de 8-10 cm ou pot de 14-16 cm (1 litre).

Pot n° 5 : 1 alchémille *(Alchemilla mollis)* – godet de 8-10 cm ou pot de 14-16 cm (1 litre).

Pot n° 6 : 1 pied de sauge pourprée *(Salvia officinalis «Purpurescens»)* – pot de 16 à 20 cm (2 à 3 litres).

Pot n° 7 : 2 pieds de persil *(Petroselinum crispum hortense)* – godets de 8-10 cm.

CARRÉS DE MENTHE

Il existe d'innombrables variétés de menthe. Presque toutes sont envahissantes, aussi est-il préférable
de leur fixer des limites. Les carrés proposés ici constituent un ensemble géométrique harmonieux,
mais qui fournit avant tout à la menthe les limites dont elle a besoin. Cet ensemble risque
de devenir le centre du coin de jardin qu'il occupera : on choisira donc son emplacement avec soin.
Il serait parfaitement à sa place au centre d'un patio ou d'une étendue pavée, ou couverte de gravier.
Le matériau employé ici est la brique, mais ici on pourra aussi utiliser de la pierre.
D'une façon générale, pour créer une unité entre les différents espaces, on utilisera
le même matériau que celui des allées, des murs du jardin ou de la maison.

31

Les plantes

2 pieds de menthe verte (Mentha spicata)
– pots de 14 à 18 cm (1 à 2 litres).

2 pieds de menthe poivrée citronnée
(Mentha *x* piperita citrata)
– pots de 14 à 18 cm (1 à 2 litres).

2 pieds de menthe anglaise à feuilles
panachées (Mentha suaveolens « *Variegata* »)
– pots de 14 à 18 cm (1 à 2 litres).

1 pied de menthe anglaise (Mentha
suaveolens) *– pot de 14 à 18 cm*
(1 à 2 litres).

Matériel

144 briques • mortier (1 part de ciment, ou
de ciment et de chaux, pour 6 parts
de sable) • Cordeau • Niveau
• Massette • Bêche • Truelle
• Déplantoir

CONSEILS

Au moment de la floraison, tailler régulièrement afin que les plantes ne deviennent
pas disgracieuses et pour éviter la formation des graines.

1. Creuser une tranchée de 50 cm de largeur et de 30 cm de profondeur.

2. Poser la première rangée de briques sur une épaisse couche de mortier. Utiliser le cordeau pour vérifier l'alignement des briques.

3. Prévoir trois épaisseurs de briques. Les racines de menthe sont très envahissantes et il est préférable que les cloisons soient assez profondes pour les contenir. On peut même rajouter une ou deux épaisseurs de briques supplémentaires en creusant une tranchée plus profonde. On veillera à ce que les briques soient bien jointoyées pour éviter que les racines ne s'échappent.

4. Lorsque toutes les briques sont posées, mettre les plantes dans leurs carrés respectifs (voir schéma page suivante).

Plantations

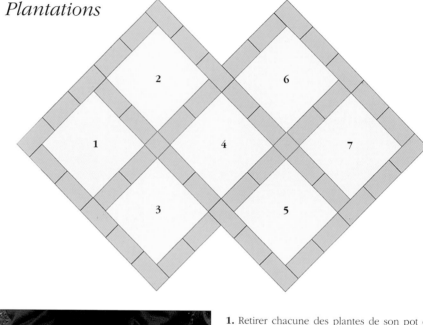

1. Retirer chacune des plantes de son pot de plastique, en le retournant et en exerçant une légère pression sur les parois. Avant de remettre la plante en terre, dégager doucement les racines pour favoriser une bonne reprise. Planter un pied de menthe verte dans le carré n° 1.

2. Dans le carré n° 2, planter un pied de menthe à feuilles panachées et, dans le carré n° 3, un pied de menthe poivrée citronnée.

3. Dans le carré n° 4, mettre en place le pied de menthe anglaise et, dans le carré n° 5, le second pied de menthe à feuilles panachées.

4. Dans le carré n° 6, planter le second pied de menthe poivrée citronnée et, dans le carré n° 7, le second pied de menthe verte.

5. Les carrés se rempliront au bout de deux ou trois mois.

AUTRES SUGGESTIONS

Carré n° 1.
1 pied de menthe poivrée citronnée *(Mentha* x *piperita citrata)* – pot de 14 à 18 cm (1 à 2 litres).

Carré n° 2.
1 pied de menthe marocaine *(Mentha spicata* «Marocaine») – pot de 14 à 18 cm (1 à 2 litres).

Carré n° 3.
1 pied de menthe pouliot *(Mentha pulegium)* – pot de 14-16 cm (1 litre).

Carré n° 4.
1 pied de menthe hybride *Mentha* x *gracilis* – pot de 14 à 18 cm (1 à 2 litres).

Carré n° 5.
1 pied de menthe frisée *(Mentha spicata crisp*a*)* – pot de 14-16 cm (1 litre).

Carré n° 6.
1 pied de menthe pouliot *(Mentha pulegium)* – pot de 14-16 cm (1 litre).

Carré n° 7.
1 pied de menthe poivrée *(Mentha* x *piperita)* – pot de 14 à 18 cm (1 à 2 litres).

JARDIN CIRCULAIRE

Ce petit jardin géométrique simple et classique sera
à sa place au milieu d'un potager bien agencé.
En son centre, on installera par exemple un petit cadran solaire
ou une vasque. La réalisation présentée ici est en briques,
mais elle pourrait tout aussi bien être en pierre.

Les plantes

A. *3 pieds de marjolaine* (Origanum Vulgare *«Aureum»*) – *godets de 8-10 cm.*

E. *1 basilic* (Ocimum basilicum) – *godet de 8-10 cm ou pot de 14-16 cm (1 litre).*

G. *3 pieds de thym* (Thymus vulgaris aureus) – *godets de 8-10 cm.*

B. *2 pieds de thym* (Thymus x citriodorus) – *godets de 8-10 cm.*

F. *1 pied de menthe anglaise à feuillage panaché* (Mentha suaveolens *«Variegata»*) *pot de 14 à 18 cm (1 à 2 litres).*

H. *1 romarin corse* (Rosmarinus officinalis) – *pots de 16 à 20 cm (2 à 3 litres).*

C. *2 pieds de ciboulette* (Allium schoenoprasum) – *godets de 8-10 cm.*

Matériel

71 briques • mortier (1 part de ciment, ou de ciment et de chaux, pour 6 parts de sable) • Cordeau • Niveau • Massette • Bêche • Truelle • Déplantoir • piquet

I. *1 pied de coriandre* (Corundum sativum) *godet de 8-10 cm ou pot de 14-16 cm (1 litre).*

D. *4 pieds de persil* (Petroselinum crispum) – *godets de 8-10 cm.*

J. *1 pied de menthe poivrée* (Mentha x piperita) – *pot de 16 à 23 cm (2 à 3 litres).*

1. Enfoncer un piquet dans le sol et fixer une cordelette à ce piquet. À l'aide d'une pointe métallique attachée à l'autre extrémité de la cordelette, à une distance de 75 cm du piquet, tracer le cercle qui délimitera l'intérieur de la roue.

2. Creuser une tranchée peu profonde et remplir de mortier.

3. Mettre les briques en place, en vérifiant pour chacune d'elles que le rayon du cercle reste bien le même. Vérifier à l'aide du niveau que les briques sont bien à égale hauteur.

4. Une fois la circonférence terminée, creuser une tranchée étroite pour les rayons de la roue et remplir de mortier. Poser les briques comme indiqué ci-dessus.

5. Disposer les plantes à l'emplacement qui leur est réservé (voir schéma page ci-contre).

Plantations

1. Retirer chacune des plantes de son pot de plastique juste avant de la replanter, en retournant le pot doucement et en exerçant une légère pression sur ses parois. Dégager délicatement les racines extérieures pour favoriser une bonne reprise.

Commencer par mettre en place les trois pieds de marjolaine (A) dans l'un des compartiments. Leurs feuilles dorées offriront un contraste heureux avec les feuilles sombres de la menthe poivrée, dans le compartiment voisin.

2. Dans le second compartiment, mettre en place les deux pieds de thym (B) et un pied de ciboulette (C). Les petites feuilles panachées du thym donneront de la fraîcheur à l'ensemble. Quant aux feuilles effilées de la ciboulette, elles apportent à toutes les compositions un contraste inté-

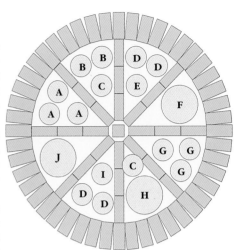

ressant, renforcé par les fleurs, qui se renouvellent pendant tout l'été si on retire celles qui sont fanées au fur et à mesure.

3. Planter deux pieds de persil (D) et le basilic (E) dans le troisième compartiment. Le persil a toujours le feuillage gracieux, et la présence du basilic apporte toujours une touche de fraîcheur. Ses feuilles s'opposeront aux feuilles effilées de la ciboulette.

4. Dans le quatrième compartiment, planter la menthe velue (F). Ses feuilles bigarrées répondent au feuillage panaché du thym.

5. Planter ensuite dans le cinquième compartiment les trois pieds de thym à feuilles dorées (G), qui répondent au feuillage doré de la marjolaine, dans le compartiment opposé.

6. Dans le sixième compartiment, à côté du thym doré, planter le second pied de ciboulette (C), en face du premier pour donner un

équilibre à l'ensemble, puis le romarin corse (H). Ce romarin à croissance lente finira par déborder sur la circonférence de la roue, sa couleur et sa texture offrant un contraste avec celles du thym et de la ciboulette.

7. Les deux derniers pieds de persil (D) se planteront dans le septième compartiment, juste en face des deux premiers pieds. Ils auront pour voisine la coriandre (I), aux feuilles très divisées, plus larges et plus claires que celles du persil.

8. Dans le huitième compartiment, enfin, planter le pied de menthe poivrée (J) à feuillage sombre. La menthe a toujours tendance à être envahissante : il est recommandé de la mettre en terre à l'intérieur d'un pot ou d'un bac d'au moins 30 cm de profondeur, dont on aura ouvert le fond.

9. Réalisée au printemps, cette composition arrivera à maturité au bout de deux ou trois mois.

CONSEILS

Persil, basilic et coriandre sont des plantes annuelles (qu'il faut renouveler tous les ans). Le basilic et la coriandre craignent le froid, aussi attendra-t-on pour les mettre en terre que tout risque de gel soit écarté. Un apport d'engrais liquide, de temps en temps, favorisera la croissance du persil et du basilic.

DAMIER

*Bon nombre de plantes aromatiques proviennent de climats
chauds et secs, et elles se plairont dans les carrés du damier
présenté ici. En les effleurant, la personne qui passera sur les
dalles les aidera à exprimer leur arôme. Le principe du damier
peut s'appliquer aussi bien sur une terrasse ou dans un patio que
dans un jardin, et se poursuivre par une alternance de dalles
claires et de dalles sombres. Plutôt qu'un damier, on peut choisir
de tracer un passage plus droit parmi les plantes, ou un motif
géométrique différent pour opposer la terre et les dalles.*

Matériel

6 dalles de 45 à 50 cm de côté

• Pierres moyennes ou débris
durs concassés • Mortier • Niveau
• Truelle • Déplantoir • Massette

Conseils

Le thym a besoin d'être taillé tous les ans au printemps. Rabattre également la sauge en la taillant vigoureusement si elle devient dégingandée.

Les plantes

A. *1 pied de menthe marocaine* (Mentha spicata *«Marocaine»*) *– pot de 14-18 cm (1 à 2 litres).*

B. *3 pieds d'origan* (Origanum vulgare) *pot de 14-16 cm (1 litre).*

C. *1 pied de sauge à feuilles panachées* (Salvia officinalis *«Tricolor»*) *– pot de 16 à 23 cm (2 à 3 litres).*

D. *2 pieds de thym* (Thymus) *– pots de 14-16 cm (1 litre).*

E. *4 pieds de camomille* (Chamaemelum nobile) *– godets de 8-10 cm.*

F. *4 pieds de menthe corse* (Mentha requienii) *– godets de 8-10 cm.*

1. Creuser un trou de la taille de chaque dalle. Tapisser le fond d'une épaisse couche de pierres ou de débris durs concassés. Déposer cinq points de mortier-colle. Mettre la dalle en place et vérifier qu'elle est bien horizontale à l'aide du niveau. Tapoter avec la massette pour rectifier si nécessaire. Répéter l'opération pour chacune des dalles.

2. Disposer les plantes à leur emplacement définitif (voir schéma page suivante).

AUTRES SUGGESTIONS

A. 4 pieds de marjolaine naine *(Origanum vulgare* «Nanum») – godets de 8-10 cm ou pots de 14-16 cm (1 litre).

B. 3 alchémilles *(Alchemilla mollis)* – godets de 8-10 cm ou pots de 14-16 cm (1 litre).

C. 3 nasturtiums *(Tropaeolum majus)* – godets de 8-10 cm.

D. 1 pied de menthe poivrée citronnée Mentha *x* piperita citrata – pot de 14 à 18 cm (1 à 2 litres).

E. 1 pied de sauge *(Salvia officinalis)* – pot de 16 à 20 cm (2 à 3 litres).

F. 4 soucis *(Calendula officinalis)* – godets de 8-10 cm ou pots de 14-16 cm (1 litre).

Plantations

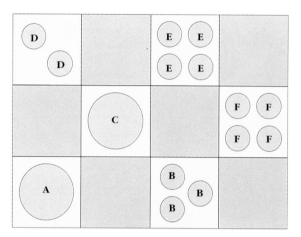

1. Retirer chaque plante de son pot de plastique juste avant de la replanter, en retournant le pot doucement et en exerçant une légère pression sur ses parois. Libérer délicatement les racines extérieures.

Planter la menthe marocaine dans le carré du A, et les trois pieds d'origan dans le carré des B. Planter le pied de sauge panachée dans le carré du C.

2. Planter les deux pieds de thym dans le carré des D, les quatre pieds de camomille dans le carré des E, et, enfin, les quatre pieds de menthe corse dans le carré des F.

3. Si les plantations sont effectuées au printemps, cette composition arrivera à maturité au bout de deux ou trois mois.

SUSPENSION

*Les suspensions plantées de lobélies, de géranium-lierre, d'impatientes
ou de fuchsias font de plus en plus souvent partie du décor de la maison
en été. Une suspension de plantes aromatiques est non seulement
un plaisir pour l'œil, mais elle peut aussi être très utile : accrochée
dans la cuisine ou à proximité, elle sera disponible en permanence
et l'on pourra à tout moment cueillir les brins et les feuilles dont on aura
besoin. Les plantes aromatiques sont, pour la plupart, des plantes
vivaces : la suspension présentée ici tiendra toute l'année.*

Les plantes

A. *2 pieds de sauge à feuilles pourprées* (Salvia officinalis *«Purpurescens»*) *– godets de 8-10 cm.*

D. *1 romarin* (Rosmarinus officinalis) *– pot de 14-16 cm (1 litre).*

G. *1 basilic* (Ocimum basilicum) *– godet de 8-10 cm.*

B. *2 pieds de persil* (Petroselinum crispum) *– godets de 8-10 cm.*

E. *1 ciboulette* (Allium schoenoprasum) *– godet de 8-10 cm ou pot de 14-16 cm (1 litre).*

C. *2 pieds de marjolaine* (Marjorum vulgare) *– godets de 8-10 cm.*

F. *pieds de thym* (Thymus *x* citriodorus) *– godets de 8-10 cm.*

Matériel

Une suspension de 60 cm de diamètre • Mousse

végétale • Un carré de plastique, percé en plusieurs

endroits pour favoriser le drainage • Terreau léger ou

mélange à base de tourbe

CONSEILS

Les suspensions se déshydratent très rapidement et ont besoin d'arrosages fréquents. Par temps chaud, il faut compter au moins trois arrosages par jour. Le plus commode est de monter sur une chaise ou sur un tabouret. Le vent peut avoir les mêmes effets que la chaleur : quand il souffle trop fort, il est recommandé de décrocher la suspension et de la mettre à l'abri.

Les plantes présentées ici ne resteront dans la suspension que pour une saison (une année entière si les plantations sont effectuées au printemps et si l'on rentre la suspension pour l'hiver). L'année suivante, au moment de renouveler les plantations, les plantes que l'on retirera pourront se mettre en pleine terre, au jardin.

1. Poser l'armature de la suspension sur un pot de taille moyenne pour qu'elle reste stable.

2. Tapisser le fond et les bords, jusqu'au tiers de la hauteur du panier, de mousse végétale en la tassant doucement. Veiller à ce qu'elle tienne bien en place.

3. Découper un morceau de plastique dans un sac de terreau vide. Le placer au fond de la suspension après l'avoir percé de trois ou quatre trous. Il servira à retenir l'humidité pour que la suspension ne se dessèche pas trop vite.

Plantations

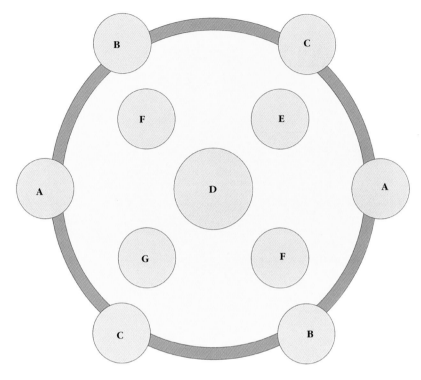

1. Mettre en place le premier étage de plantes après avoir doucement libéré leurs racines extérieures pour favoriser leur développement. Disposer les 2 pieds de sauge (A), les 2 pieds de persil (B) et les 2 marjolaines (C) de façon symétrique en suivant le schéma ci-contre.

2. Finir de tapisser de mousse les parois de la suspension jusqu'en haut.

3. Remplir de terre le nid formé par la mousse.

4. Planter le romarin (D), la ciboulette (E), les 2 pieds de thym (F) et le basilic (G), en suivant le schéma ci-dessus.

AUTRES SUGGESTIONS

Pour cette réalisation, il est recommandé d'accrocher la suspension à l'aide de chaînes ou de cordelettes assez longues, afin que le fenouil ait la place de s'épanouir. Cependant, pour limiter son expansion, il suffira de le tailler régulièrement.

A. 2 matricaires dorées *(Tanacetum parthenium* «Aureum»*)* – godets de 8-10 cm.

B. 2 pieds de coriandre *(Coriandrum sativum)* – godets de 8-10 cm.

C. 2 fraisiers sauvages *(Fragaria vesca)* – godets de 8-10 cm.

D. 1 estragon (Artemisia dracunculus) – godet de 8-10 cm.

E. 1 ciboulette *(Allium schoenoprasum)* – godet de 8-10 cm ou pot de 14-16 cm (1 litre).

F. 2 pieds de fenouil *(Foeniculum vulgare* «Purpureum»*)* – godets de 8-10 cm ou pots de 14-16 cm (1 litre).

G. 1 pied de curry *(Helichrysum italicum)* – godet de 8-10 cm ou pot de 14-16 cm (1 litre).

5. Avant de commencer la cueillette, il faudra attendre quelques semaines, jusqu'à ce que les plantes aient suffisamment grandi.

BORDURE DE PLANTES AROMATIQUES

De manière idéale, cette bordure de plantes aromatiques doit être exposée
au sud ou au sud-ouest et protégée au nord par une palissade ou un mur.
Pour que les plantes soient plus facilement accessibles, on essaiera de réaliser
ce parterre à proximité de la cuisine. Les plantes aromatiques ont tendance
à pousser de façon désordonnée mais, en choisissant avec soin leur disposition
et leur emplacement, on arrivera à former un ensemble harmonieux,
qui cohabitera avec bonheur avec les autres plantes du jardin.

Les plantes

A. *3 fraisiers sauvages à feuilles panachées* (Fragaria vesca « *Variegata* ») *– godets de 8-10 cm.*

E. *1 pied d'angélique* (Angelica archangelica) *– godet de 8-10 cm ou pot de 14-16 cm (1 litre).*

H. *1 pied de menthe anglaise à feuilles panachées* (Mentha suaveolens « *Variegata* ») *– pot de 14 à 18 cm (1 à 2 litres).*

B. *1 pied de ciboulette* (Allium schoenoprasum) *– godet de 8-10 cm ou pot de 14-16 cm (1 litre).*

F. *2 bergamotes* (Monarda didyma) *– godets de 8-10 cm.*

S1. *2 pieds de romarin* (Rosmarinus officinalis) *– pots de 16 à 20 cm (2 à 3 litres).*

C. *5 pieds de myrrhide odorante* (Myrrhis odorata) *– godets de 8-10 cm.*

G. *1 iris* (Iris foetidissima « *Variegata* ») *pot de 14 à 18 cm (1 à 2 litres).*

S2. *2 pieds de sauge pourprée* (Salvia officinalis « *Purpurescens* ») *pots de 16 à 23 cm (2 à 3 litres).*

D. *7 cataires* (Nepata racemosa *ou* Nepata mussinii) *– godets de 8-10 cm.*

Matériel

Bêche • Râteau

• Déplantoir • Brouette

• Écorce broyée

test

S3. *2 pieds de rue* (Ruta graveolens
«Jackman's Blue»)
– pots de 14-18 cm (1 à 2 litres).

S4. *1 sauge dorée*
(Salvia officinalis *«Icterina»*)
– pot de 16-23 cm (2 à 3 litres).

S5. *1 pied d'armoise*
(Artemisia *« Powis Castle »*)
– pot de 14-18 cm (1 à 2 litres).

CONSEILS

Cette bordure demandera peu d'entretien et restera belle pendant des années.

Si la sauge devient dégingandée au printemps, il suffit de la rabattre en la taillant vigoureusement. L'armoise se taille à 5 cm du sol, tous les printemps, lorsque les nouvelles pousses font leur apparition. Sinon, elle donnera des branches touffues à leur extrémité, mais décharnées et disgracieuses. Aussitôt après la première floraison, tailler la cataire avec des cisailles pour favoriser une nouvelle floraison (elle peut donner des fleurs pendant tout l'été).

1. Bêcher une surface d'environ 5 m × 2,5 m. Si la terre est argileuse, épandre une épaisseur de 2 à 3 cm de sable de rivière avant de bêcher. Passer la surface au râteau pour bien ameublir la terre.

Cette bordure aura besoin d'être très abritée, et on renouvellera le cumin tous les ans.

A. 1 pied de menthe poivrée citronnée *(Mentha × piperita citrata)* – pot de 14 à 18 cm (1 à 2 litres).

B. 1 pied d'estragon *(Artemisia dracunculus)* – pot de 14 à 18 cm (1 à 2 litres).

C. 5 pieds de cumin *(Carum carvi)* – godets de 8-10 cm.

D. 7 pieds de cerfeuil *(Anthriscus cerefolium)* – godets de 8-10 cm.

E. 1 pied de fenouil *(Foeniculum vulgare)* – godet de 8-10 cm.

F. 2 bergamotes *(Monarda fistulosa)* – godets de 8-10 cm.

G. 1 pied de ciboulette *(Allium schoenaprasum)* – godet de 8-10 cm ou pot de 14-16 cm (1 litre).

H. 1 pied de menthe poivrée citronnée *(Mentha × piperita citrata)* – pot de 14 à 18 cm (1 à 2 litres).

S1. 2 lauriers *(Laurus nobilis)* – pots de 16 à 20 cm (2 à 3 litres).

S2. 2 pieds de sauge dorée *(Salvia officinalis* «Icterina»*)* – pots de 16 à 20 cm (2 à 3 litres).

S3. 2 pieds de lavande *(Lavandula angustifolia)* – pots de 16 à 20 cm (2 à 3 litres).

S4. 1 pied de sauge pourprée *(Salvia officinalis* «Purpurescens»*)* – pot de 16 à 20 cm (2 à 3 litres).

S5. 1 armoise *(Artemisia* «Powis Castle»*)* – pot de 14 à 18 cm (1 à 2 litres).

Plantations

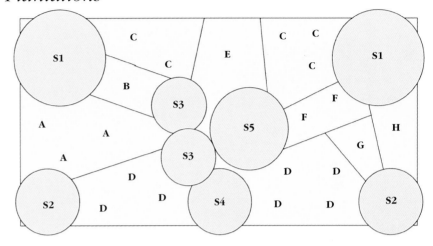

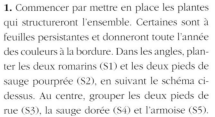

1. Commencer par mettre en place les plantes qui structureront l'ensemble. Certaines sont à feuilles persistantes et donneront toute l'année des couleurs à la bordure. Dans les angles, planter les deux romarins (S1) et les deux pieds de sauge pourprée (S2), en suivant le schéma ci-dessus. Au centre, grouper les deux pieds de rue (S3), la sauge dorée (S4) et l'armoise (S5).

2. Lorsqu'on les sort de leur pot d'origine, dégager délicatement les racines extérieures pour permettre aux plantes de reprendre plus facilement.

3. Mettre en place les plantes intermédiaires du devant : les sept cataires (D) fleurissent tout l'été si on les taille de temps en temps avec des cisailles. Elles s'accordent bien avec la sauge placée aux angles et offrent un contraste avec la sauge dorée du milieu. La teinte bleutée des feuilles de rue se retrouve dans le feuillage des cataires. Le feuillage panaché de la menthe (H), en revanche, tranchera vigoureusement. Planter la menthe à l'intérieur d'un pot ou d'un bac dont on aura retiré le fond avant de le mettre en terre, pour limiter la prolifération des racines.

4. Les plantes intermédiaires de l'arrière-plan deviendront plus hautes que celles de devant. L'angélique (E) peut atteindre 1,50 m : on lui a accordé un espace en conséquence. La myrrhide odorante (C), au feuillage gracieux, fera le lien entre la grande angélique et les plantes de taille moyenne. À gauche, les feuilles panachées des fraisiers sauvages (A) répondront à celles de la menthe, sur la droite. Les feuilles lancéolées de l'iris (G) fourniront de grandes lignes verticales à droite, auxquelles répondront à gauche les feuilles effilées, plus petites, de la ciboulette (B). Pour compléter l'ensemble, planter les deux pieds de bergamote (F), à fleurs rouge vif.

5. Une fois toutes les plantes en place, recouvrir le sol d'un paillis pour empêcher l'apparition des mauvaises herbes et entretenir l'humidité de la terre. Ici, on a utilisé de l'écorce broyée, mais il existe d'autres possibilités de couverture végétale. Certains jardiniers utilisent aussi de tout petits cailloux. Avant d'être recouverte, il faut que la terre soit bien arrosée : la couverture de surface joue un rôle de protection mais aussi d'isolation. On risque de laisser la terre complètement sèche si on n'a pas pris la précaution de bien l'arroser. L'épaisseur idéale de cette couverture est de 5 cm environ, pour que les graines des mauvaises herbes restent dans le noir et n'aient pas la possibilité de germer.

6. L'ensemble arrivera vite à maturité si les plantations sont effectuées au printemps ou au début de l'été.

BORDURE MIXTE

Les plantes aromatiques se marient parfaitement avec les plantes à fleurs.

La composition décrite ici montre comment les associer dans une réalisation

d'ensemble. Les plantes aromatiques qui n'entrent pas dans cette composition

pourront être cultivées dans des pots groupés en un autre endroit du jardin,

ou encore sur une terrasse ou dans un patio. La bordure prévue ici

est de 7,50 m de long sur 2,50 m de large. De manière idéale, on choisira

une exposition au sud ou à l'ouest. Si la bordure est exposée à l'est,

il est préférable qu'elle soit adossée à une clôture ou à une palissade

de 1,50m à 2 m de haut plutôt qu'à une haie ou à une maison.

Les plantes

S1. *2 santolines*
(Santolina chamaecyparissus)
– pots de 14-16 cm (1 litre).

S2. *2 choisyas* (Choisya ternata)
– pots de 18-20 cm (3 litres) ou davantage.

S3. *2 pieds de sauge* (Salvia officinalis)
– pots de 14 à 20 cm (2 à 3 litres).

S4. *1 lilas de Californie*
(Ceanothus thyrsiflorus)
– pot de 18-20 cm (5 litres) ou davantage.

S5. *6 pieds de lavande*
(Lavandula angustifolia)
– pots de 14 à 18 cm (1 à 2 litres).

Matériel

Bêche • Râteau • Déplantoir

• Fil de fer galvanisé • Pitons

S6. *1 romarin*
(Rosmarinus officinalis)
– pot de 16 à 20 cm (2 à 3 litres).

A. *3 bergamotes* (Monarda didyma)
– godets de 8-10 cm.

B. *3 pieds de ciboulette* (Allium
schoenoprasum) *– godets de 8-10 cm
ou pots de 12-14 cm (1 litre).*

C. *2 géraniums «becs-de-grue»* (Geranium *x* riversleaianum *«Russell Prichard»*) *– pots de 14 à 18 cm (1 à 2 litres).*

G. *2 pieds de persil* (Petroselinum crispum) *– godets de 8-10 cm.*

K. *1 pied de menthe à feuilles panachées* (Mentha suaveolens *«Variegata»*) *– pots de 14 à 18 cm (1 à 2 litres).*

D. *2 pieds de fenouil* (Foeniculum vulgare) *– godets de 8-10 cm ou pots de 14-16 cm (1 litre).*

H. *2 iris* (Iris pallida «Variegata») *– godets de 8-10 cm ou pots de 14-16 cm (1 litre).*

L. *1 estragon* (Artemisia dracunculus) *– godet de 8-10 cm ou pot de 14-16 cm (1 litre).*

E. *1 pied de menthe lancéolée* (Mentha spicata) *– pot de 14 à 18 cm (1 à 2 litres).*

I. *2 euphorbes* (Euphorbia characias wulfenii) *– godets de 8-10 cm ou pots de 14-16 cm (1 litre).*

K1. *1 genévrier* (Juniperus communis «Hibernica») *– pot de 18-20 cm (5 litres) ou davantage.*

F. *2 heucheras* (Heuchera *«Palace Purple»*) *– godets de 8-10 cm ou pots de 14-16 cm (1 litre).*

J. *3 alchémilles* (Alchemilla mollis) *– godets de 8-10 cm.*

C1. *2 pieds de vigne* (Vitis vinifera *«Black Hamburg»*) *– pots de 16 à 20 cm (2 à 5 litres).*

2. En bêchant, incorporer à la terre un mélange de tourbe (ou de terreau), d'engrais naturel et de sable de rivière (épandu avant de bêcher sur une épaisseur de 2,5 cm) à parts égales. Lorsque la terre est retournée, passer le râteau pour ameublir la surface.

1. Retourner la terre sans dépasser la profondeur d'une bêche.

3. Les vignes ont toujours besoin de tuteurs. Le long d'une palissade, comme ici, on pourra glisser du fil de fer galvanisé dans des pitons fixés dans le bois de la palissade. Le long d'un mur, on utilisera des chevilles pour les faire tenir. Le fil de fer galvanisé, disposé à l'horizontale, sera étagé tous les 40 à 50 cm. La vigne, en grandissant, le fera peu à peu disparaître à la vue.

Plantations

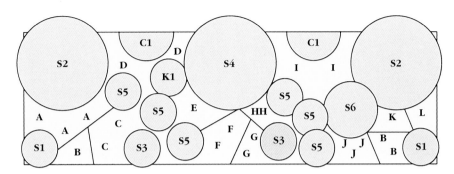

1. Mettre d'abord en place les plantes qui constituent la structure de la composition, plantes dont le feuillage persistant donnera des couleurs toute l'année : les deux choisyas (S2), le lilas de Californie (S4), les deux pieds de sauge (S3) et les deux santolines (S1).

2. Commencer ensuite à disposer les autres plantes. Les petites plantes à feuilles persistantes contribueront à l'unité de la composition. Les deux pieds de vigne (C1), qui perdent leurs feuilles en hiver, grandiront vite et donneront du relief à l'arrière de la bordure, de même que, sur le devant, le genévrier (K1), le romarin (S6) et les six pieds de lavande (S5). Le port dressé et la haute taille du genévrier s'opposeront à la forme arrondie du lilas de Californie, tout en donnant de la hauteur à la composition.

3. Les petites plantes buissonnantes et vivaces, comme les heucheras (F) à feuilles sombres et pourprées, ou les bergamotes (A) à fleurs rouge vif, donneront variété et couleur à l'ensemble.

L'estragon (L) sera planté de préférence dans un grand pot ou dans un bac, dont on aura retiré le fond avant de le mettre en terre, pour éviter qu'il ne prolifère. Planter ensuite les deux pieds de fenouil (D), les deux euphorbes (I) et les trois alchémilles (J).

4. Planter ensuite les trois pieds de ciboulette (B), dont les fleurs comestibles s'utilisent pour décorer les salades, et les deux pieds de persil (G), plante annuelle, à renouveler chaque printemps. Les deux pieds de menthe (E et K) seront plantés chacun dans un grand pot ou dans un bac, dont on aura retiré le fond, pour contenir leurs racines. Planter enfin les iris (H) et les géraniums (C). Les géraniums fleuriront tout l'été, leurs fleurs répondant à celles de la ciboulette, plante vivace qui se plaît toujours sur le devant d'une bordure.

5. Cette composition occupera tout l'espace de la bordure en trois ou quatre mois si elle a été mise en place au printemps. Il lui faudra ensuite trois ou quatre ans pour arriver à maturité.

CONSEILS

Tailler la lavande et les santolines au sécateur ou avec des cisailles après la floraison pour leur redonner une forme. Fixer de nouveau la vigne au fil de fer au fur et à mesure de sa croissance, et notamment à la fin de l'été. Retirer les feuilles mortes tous les printemps et renouveler le persil tous les ans.

JARDINIÈRE

*Il est toujours très agréable d'avoir des plantes aromatiques
directement sur la fenêtre de sa cuisine, à portée de la main.
Il est plus facile de s'occuper d'elles et on peut à tout instant en cueillir
un brin ou une feuille. Une jardinière n'occupe qu'un espace
minuscule, et pourtant on peut y cultiver une multitude de plantes.
Il suffit de bien les arroser et de remplacer les plantes devenues trop
grandes, que l'on peut alors mettre en pleine terre. Vous pouvez disposer
une jardinière à chaque fenêtre, en ajoutant peut-être dans chacune
un pélargonium qui fera le lien entre vos différentes compositions.*

Les plantes

1 pied de menthe à feuillage panaché
(Mentha suaveolens «Variegata»)
– pot de 14 à 18 cm (1 à 2 litres).

1 romarin (Rosmarinus officinalis)
– pot de 16 à 18 cm (2 litres).

1 pied de thym (Thymus x citriodorus
«Silver Posie») *– godet de 8-10 cm.*

Matériel

Une jardinière de 75 cm de longueur, 20 cm

de profondeur et 22 cm de largeur

• Tessons de poterie ou cailloux de taille

moyenne • Terreau universel ou mélange

à base de tourbe • Déplantoir

1 pied de sauge pourprée (Salvia officinalis
«Purpurescens») *– pot de 16-18 cm (2 litres).*

1 pied de marjolaine (Origanum vulgare)
– godet de 8-10 cm.

CONSEILS

Les plantes sont très serrées dans cette jardinière, mais elles peuvent y rester un an,
si elles sont plantées au printemps et si on
prend la précaution de rentrer la jardinière
en hiver. Buissons et plantes vivaces pourront se mettre en pleine terre l'année
suivante.

2 pieds de persil (Petroselinum crispum)
– godets de 8-10 cm.

1 pied de ciboulette (Allium schoenoprasum)
– godet de 8-10 cm.

1. Tapisser le fond de la jardinière d'une couche de tessons de poterie.

2. Remplir de terreau jusqu'à 3 cm du bord supérieur.

3. Placer les plantes comme elles seront disposées à l'intérieur de la jardinière.

Plantations

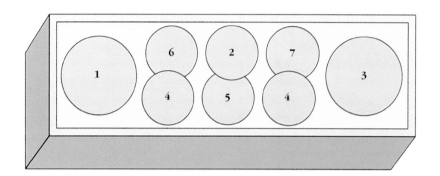

1. Commencer par mettre en place les plantes les plus grandes : ici, la menthe, la sauge et le romarin. Pour aider chaque plante à sortir de son pot d'origine, exercer une légère pression sur les parois du pot. Libérer délicatement les racines extérieures avant de mettre les plantes dans la jardinière. Placer la menthe en 1, le romarin en 2 et la sauge en 3 (voir schéma ci-dessus).

2. Compléter avec les autres plantes : le thym en 5, en face du romarin, un pied de persil en 4, de part et d'autre du thym, la marjolaine en 6 et la ciboulette en 7.